문학동네

JOJO'S BIZARRE ADVENTURE PART 8 JOJOLION 20

First published in Japan in 2011 by SHUEISHA Inc., Tokyo.
Korean translation rights in Republic of Korea arranged by SHUEISHA Inc.
through Shinwon Agency Co., Ltd. and Sakai Agency Inc.
Korean edition, for distribution and sale in Republic of Korea only.

volume

20

같이 부탁해요, 닥터 우.

JoJolion ★★★★★ 죠죠의 기묘한 모험 *Part 8*

Jojo's bizarre adventure

아라키 히로히코

Hirohiko Araki & Lucky Land Communications

히가시카타 죠스케(추정 19세)

'벽의 눈'에서 발견된 신원 불명의 청년. 어깨에 별 모양의 반점이 있다. 히가시카타가에 거둬져 '죠스케'라는 이름을 얻는다. 죽은 키라 요시카게의 육체와 일부 융합한 '쿠죠 죠세후미'였음이 판명됐다. 기억은 아직 돌아오지 않았다.

모리오초 인물 소개

●○○○○○○○●●

히로세 야스호(19)

모리오초에 사는 대학생. '벽의 눈'에서 우연히 발견한 죠스케의 신원을 알아내고자 행동을 함께 한다.

쿠죠 죠세후미(19)

어렸을 적 키라의 어머니 홀리가 목숨을 구해준 청년. 홀리를 위해 로카카카를 훔친다는 키라의 계획에 협력했다.

키라가 죽음의 문턱에서 로카카카를 먹은 결과, 몸의 일부가 죠세후미와 융합

◇◇◇◇◇◇◇◇◇◇◇◇◇◇◇◇◇◇◇◇◇◇◇◇◇

키 라 家

키라 홀리 죠스타(52)

키라 요시카게의 어머니. TG대 병원에 입원중.

키라 요시테루

키라 요시카게(29)

니지무라 케이(22)

키라 요시카게의 여동생. 히가시카타가의 비밀을 알아내기 위해 가정부인 척 숨어들었다.

어머니의 병을 낫게 하기 위해 로카카카의 가지를 바위 인간에게서 훔쳤지만, 나중에 그 사실이 발각되어 살해당했다. 직업은 선의船醫.

히가시카타家

히가시카타 카토(52)

노리스케의 전처이자 죠빈 남매의 어머니. 살인죄로 15년간 복역했다.

히가시카타 노리스케(59)

히가시카타가의 가장. 히가시카타 청과의 제4대 점주.

히가시카타 다이야(16)

히가시카타가의 차녀. 죠스케를 좋아한다.

히가시카타 죠슈(18)

히가시카타가의 차남. 야스호의 소꿉친구로 같은 대학에 다닌다. 야스호를 좋아한다.

히가시카타 하토(24)

히가시카타가의 장녀. 모델.

지난 줄거리

히가시카타가의 과수원에서 벌어진 '로카카카 가지'를 둘러싼 쟁탈전을 제압한 것은 '가지'를 바꿔친 죠빈과 츠루기 부자였다. 그러나 죠스케와 식물감정인 마메즈쿠 라이는 바위 인간 푸어 톰의 동료인 '구급차에 타고 있던 자'가 가지를 갖고 간 줄로만 아는데…

한편 과수원 사건 이후 TG대 병원에서 죠빈의 아내 미츠바를 발견한 야스호. 그녀에게 위화감을 느낀 야스호는 미츠바의 주치의가 '구급차에 타고 있던 자'임을 알아차리지만, 그 순간 갑작스럽게 공격당한다…!

히가시카타 미츠바(31)

장남 죠빈의 아내.

히가시카타 죠빈(32)

히가시카타가의 장남. 매일매일이 여름방학인 것처럼 사는 타입.

히가시카타 츠루기(9)

장남 죠빈과 미츠바의 아들. 액막이를 위해 여자애 차림으로 지내고 있다.

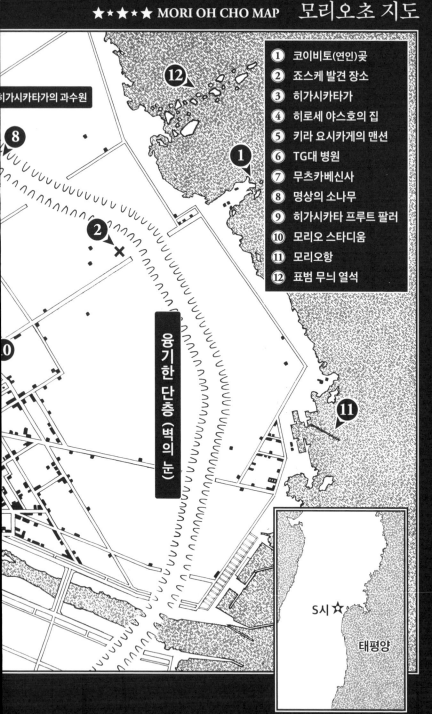

★★★★ MORI OH CHO MAP　모리오초 지도

1 코이비토(연인)곶
2 죠스케 발견 장소
3 히가시카타가
4 히로세 야스호의 집
5 키라 요시카게의 맨션
6 TG대 병원
7 무츠카베신사
8 명상의 소나무
9 히가시카타 프루트 팔러
10 모리오 스타디움
11 모리오항
12 표범 무늬 열석

히가시카타가의 과수원

융기한 단층(벽의 눈)

S시 ☆

태평양

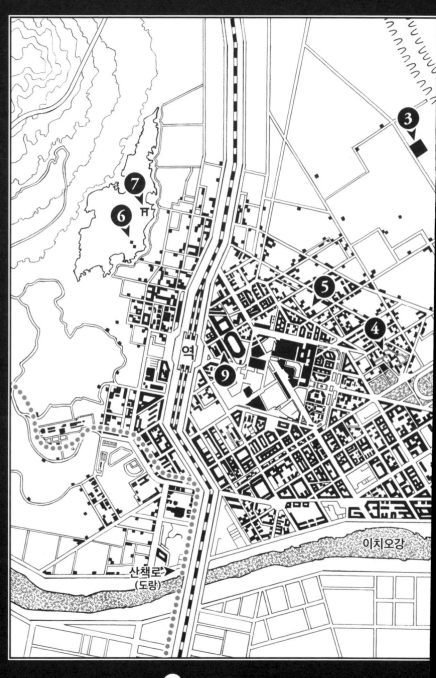

이치오강

산책로
(도랑)

역

S시 중심부

차례★
같이 부탁해요, 닥터 우.

volume
20

#079
닥터 우와 깨어나는
세 장의 잎 ①

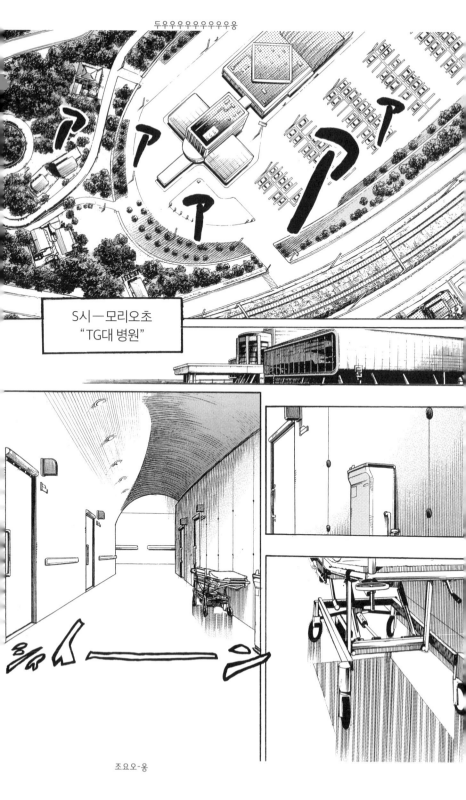

S시—모리오초
"TG대 병원"

위이잉

이 대기실에는…

다친 사람이나 환자라면 얼마든지 있어도 괜찮아…

하지만 우리는 이 병원에서 지금부터 '누군가'의 주시를 받게 돼.

우리 쪽에 있는 정보라곤 이 병원의 '누군가'가 '로카카카 가지'를 갖고 있을지도 모른다는 단순한 추측뿐인데 말이야.

확실하게 아는 건 키라 홀리 씨가 이 병원에 입원해 있다는 것 뿐이고.

죠스케.

안쪽으로 들어가서 찾아봐야 겠어.

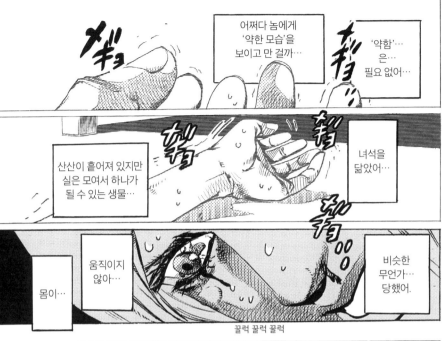

내 핸드폰이 어디 갔지?

손에 쥐고 있었는데...

핸드폰...

헉!

우득

그만둬요! 미츠바 씨!!

미츠바 씨는 적인가요?!

......

질질 질질 질질

질질 질질 질질

끙끙 질질 끙끙

2…

그리고 나왔어.

봐봐…

비용 얘기도 물론 비밀이고.

이 치료는 남편이나 츠루기, 가족한테는 비밀이야.

아니면 다른 형태로 투여 받았거나! 마셨거나!!

분명 로카카카 열매를 드신 거예요!

몸 전체가 완벽하다고!!

온몸 구석구석 아름답고 건강하게 나았어…

꾸구욱

질질질

잃었다고?

내가?

기억해보세요!
이용당하시는
거라고요!
지금은
공격까지
받고 있어요!!

이 방에
오기 전에
어디 계셨죠?!

슈웅

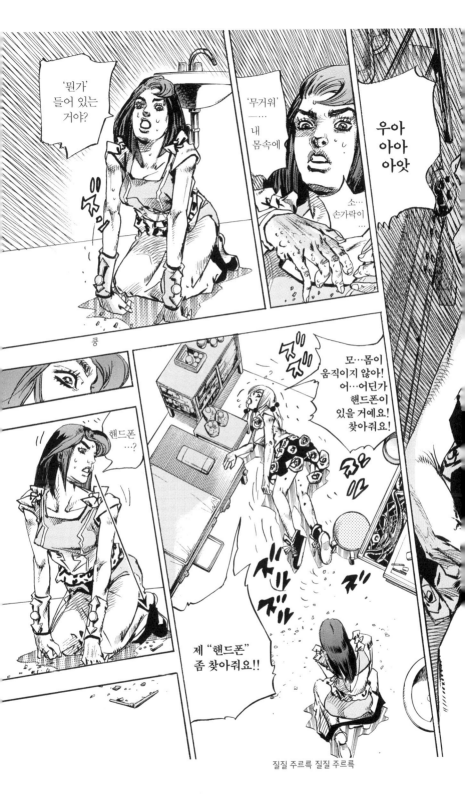

도도도도도

슥…

바…
박살났어…

우, 우아앗.
'핸드폰'이…

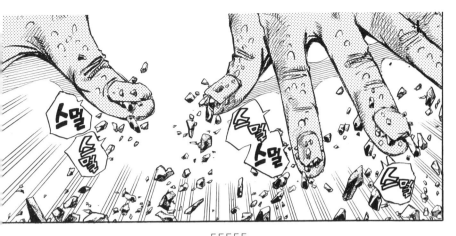

도도도도도

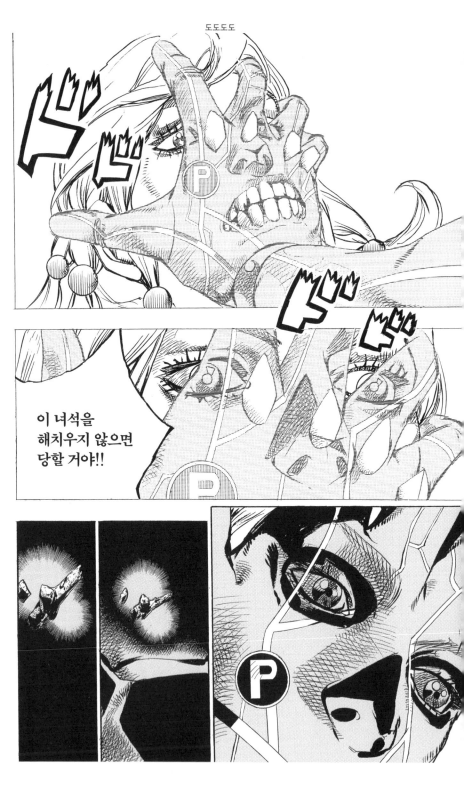

난…
누구에게도
폐 끼치지
않았어…

여긴 치료
받으러 온 것뿐,
아름다워지려고…
건강해지려고
난 2억 엔이나
냈어.

목적은
돈이
아니에요!

미츠바 씨의
몸에 지금!
들어가 있는 건
바위 인간!

이 녀석의
목적은
'로카카카의
등가 교환'
그 자체예요!

"등가 교환을 위해"
지금 미츠바 씨의
'뭔가'를 이용
하고 있어요!

등가로 몸의
'뭔가'와 '뭔가'를
교환하는 '기술'!
녀석들은 그걸
지배하려 해요!

다소…
틀린 내용이
있군…

벌커어어억

도도도도도도

휠체어나
이 병원에서
있었던 일이
전부 다
기억난 건
아니지만

야스호 씨,

나…
누구에게도
말하지 않은
게 있어.

도도도도도도

도도도도

아직... 히가시카타가의 누구에게도 말하지 않았어.

남편 죠빈 씨 한테도

나 임신중이야...

닥터 우 토모키
(바위 인간)

스탠드 명 —— **닥터 우**

자기 몸을 세포 수준으로 작게 분해하여
파편 상태로 움직일 수 있다.
힘은 그 파편의 크기에 달려 있지만
거의 없다시피 하다.
만약 이 능력을 외과 치료에 쓴다면
체내에서 직접 치료가 가능하니
명의가 될 수 있을 테지만,
딱히 그러지는 않는 모양이다.

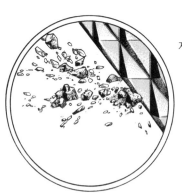

닥터 우와 깨어나는
세 장의 잎 ②

대체
'뭐'와
'뭐'를?!

교환한다는
건데?!

어디?
라…

산부인과
입니다.

산부인과.

우 선생님,
저…

자…
가볼까요?

오늘 진료는
어디에서
하나요?

드륵 드륵 드륵 드륵

우 선생님은
제 가슴 모양도
예쁘게
해주셨고

치아와 턱도
고쳐주셨죠.

지금 치료해
주셨으면 하는 건
'두피 알레르기'

…인데요.

사람은
실패하면서
배우는 법
…이라
고요.

어렸을 적
어른들이 곧잘
말하지 않던가요?
처음부터
잘하려 들면
못쓴다고.

산부인과
진료도 보세요?

하지만
우 선생님은
정형외과…

학교 입시도…
의사 국가시험도…
자동차 운전 면허도…
한 번에
합격했습니다.

지금까지
단…
한 번도요.

실패는
하지
않아요.

하지만 저로
말씀드릴 것 같으면…
지금까지 실패라는
경험을 해본 적이
없습니다.

……

자…
드레스
벗고…
누우세요.

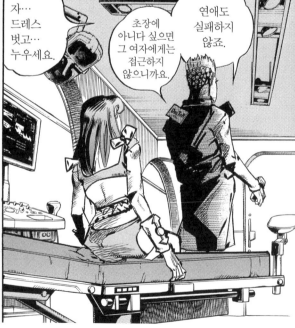

초장에
아니다 싶으면
그 여자에게는
접근하지
않으니까요.

연애도
실패하지
않죠.

방금 저기서 일하던 간호사, 모세혈관이 터진 걸까요.

안구가… 충혈되어 있었죠.

손목과 손끝에도 보라색 울혈이 있었고요.

그건… 그 여자, 밧줄로 몸을 묶고 있는 겁니다… 매일매일.

바… 밧줄?

무슨 말씀 이세요?

……

자기가 좋아서 묶어달라고 하는 거죠♡ 그 간호사의 개인적인 밤의 취미는 존중합니다.

그래서 나가달라고 한 거죠.

만약 그 여자가 어디선가 저를 유혹하면 마이너스일 뿐입니다.

예측 가능한 실패에는 접근 하지 않아요.

하지만 제 입장에서 그 쾌락 추구는 문제 요소밖에 되지 않아요.

제가
맡은 환자는
100%
낫습니다.

당신의
몸 전체와
이어져
있어요.

히가시카타
미츠바 씨,
당신의 두피나
예쁜 가슴,
턱은

다른
의사는
자기 전문
분야밖에
못 보지만

어느
환자든
100%
완치되기를
바라죠.

남에게
맡겼다가
혹시라도
잘못
보고되면
곤란하죠.

그리고
그 바람은
이루어
졌습니다.

그래서
산부인과
진료도
제가 전부
보는 겁니다.

지금
"14주"
째군요…
히가시카타
씨.

뭐라고요…

······

우당타아아앙

미츠바 씨는 히가시카타가를 자유롭게 드나들 수 있으니 말입니다.

필요합니다. 돌아와 주셔야 해요. 줄곧 '돈'도 됐고 '정보'도 제공했죠.

미츠바 씨의 몸은…

쿨럭

쿨럭

쿨럭

고고고고

뭐!?

당신의 아들 히가시카타 츠루기가 '스탠드유저'란 것도 알고 있어.

종이를 접어 하늘을 날게 할 수 있다는 것도 알고 있고.

그런 '녀석'이 과수원 화재 때 집 안에서 종이를 접어 밖으로 날릴 수 있을 것인지도 말야.

몹시 중요한 사안이지.

고고고

부오옹

달싹달싹 달싹달싹 달싹

혁!!

이건…!!

스탠드다
…

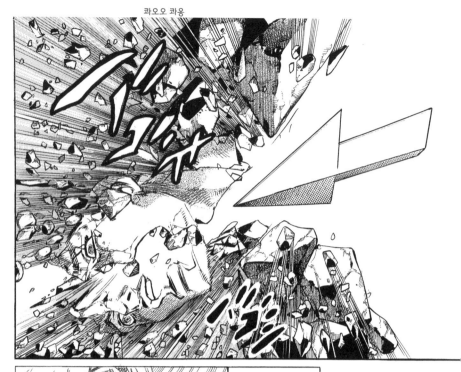

이 능력!!
미…미츠바 씨?!!

화살표가
셋이면,
그것으로
에워싸인
공간의
최단 거리를
이동할 수
있어.

'화살표'까지
에너지를
이동시킬 수 있어!
스탠드명
'어웨이킹Ⅲ
리브스'

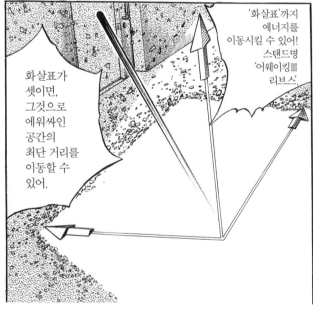

콰득 콰득 콰득 콰득 콰득

우지끄으은

도도도도

산부인과는
엘리베이터
타고 위층!
돌아가서
들어가자!

야스호 씨,
갈 거지—?

가야 해!!

우당타아아앙

탕

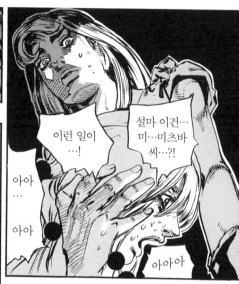

'치료'…했다니
그 녀석들!
대체 무슨 짓을
하고 있는 거죠?

몸속에서
나온…
'파편'의
이 '작은
형체'는?!

미츠바 씨,
'등가 교환'
으로…

설마 이건…
미…미츠바
씨…?!

이런 일이
…!

아아
…

아아

아아아

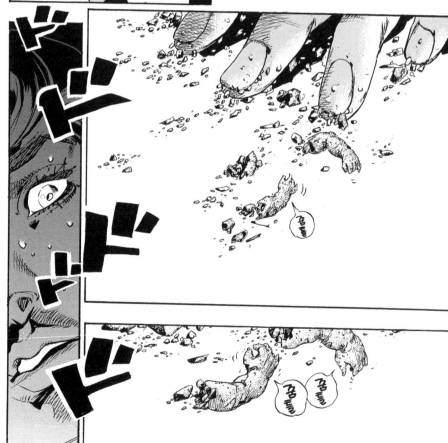

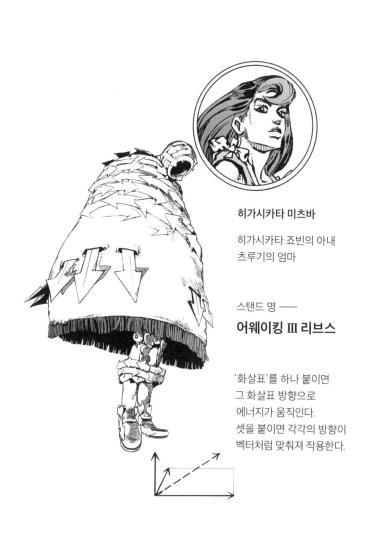

히가시카타 미츠바

히가시카타 죠빈의 아내
츠루기의 엄마

스탠드 명 ——
어웨이킹 Ⅲ 리브스

'화살표'를 하나 붙이면
그 화살표 방향으로
에너지가 움직인다.
셋을 붙이면 각각의 방향이
벡터처럼 맞춰져 작용한다.

닥터 우와 깨어나는 세 장의 잎 ③

야기야마 요츠유

공원의 조형물이나 돌 등과 동화해 잠자는 바위 인간

―(바위 인간의 주된 특징)―

㉮ 장수와 건강
㉯ 특정한 기간에 긴 동면이 필요하다.
㉰ 피부를 경질화시킬 수 있어 온도나 기압 차,
　충격에 강하다.
㉱ 인간과의 섹스는 가능하나 절대로 공존하지
　못한다.
㉲ 시체가 화석화하지 않고 붕괴한다.
㉳ 스탠드유저

바위 인간(바위 생물)이란―
육체의 주요 구성 원소가 규소(Si)로 진화해온 생물을 일컫는다.
(보통 인간은 탄소(C) 생물이다.)

도레미파솔라티 도

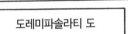

캐터필러처럼 땅속에서 전진하며
쥐, 곤충 등을 먹는다.

머리핀

보석 등으로 의태해
인간의 피부 가까이 생활하며
약해진 마음을 홀린다.
피부의 각질 등을 먹는다.

돌로미테

신사의 경내에서
연못의 돌처럼 지낸다.
물풀이나 개구리
등을 먹는다.

우 토모키(33)
—바위 인간

• 자신의 신체를
산산이 부숴
입자 크기로
작아질 수 있다.

• 입자에 '힘'
자체는 없지만
에어컨 바람 등을 타고
이동할 수 있다.

• 인간의 체내로 들어가면
알레르기 같은 거부 반응을 보이지만
이 입자는 뼈조직 등과
동화해 들러붙는다.
인체 어느 부분에 들러붙는 것이
효과적인지 잘 알고 있다.

• 실제 연령은 확인되지 않았으나
70세 정도로 추정된다.
신장 185cm, 체중 79kg.
일본 국적, 호적을 가지고 있으며
TG대 의학부 졸업.
의사 자격증도 보유하고 있다.
전문 분야는 정형외과.
세금 미납 기록 없음. 미혼.

• 스탠드 능력은 산산이 흩어진
입자가 다시 모여들어 육체로
돌아가는 움직임 그 자체다.
스탠드 명 '닥터 우'.

#081
닥터 우와
깨어나는
세 장의 잎 ③

도도도도도도도
로카카카의 '등가 교환'은 먹으면 반드시 일어나요!!
미츠바 씨가 받은 두피 알레르기 치료…!!
그 치료와 "등가로 교환" 한 것은!!
바로 그 부분은!!
아앗!!
아아아 …!!
자… 자그만 손!!
꿈틀
꿈틀

고오!!

ㄷ

!

?

ㄴ

화살표
'셋'.

구오오오

덥서억

슈욱 슈욱 슈욱

찌익　꽈악

버둥버둥 버둥

찌익 찌익

찌이-익 찌이-익

야스호 씨…
이것 좀…
붙여주겠어?

저로선 모르 겠어요.

저, 모… 모르겠 어요…

나머지 '몸'은 내 뱃속에 남아 있는 거야?

사… 살아 있는 거야?

설마…

아니면… 여기 이건 절반뿐이고…

안쪽 "방"에서 재배되고 있었어…

나…

열매를 봤던 게 기억났어.

아니, 아니에요 …

전 그 자그만 손이 살아 있는 걸로 보여요…

재배 되고 있었다 고요? 열매가?!

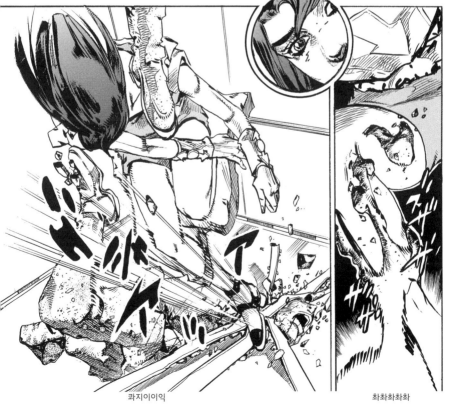

콰지이이익

촤촤촤촤촤

찌이익 찌이익 찌익

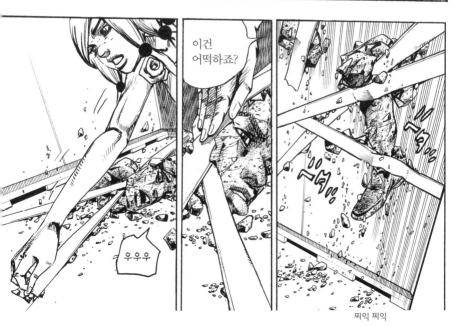

이건
어떡하죠?

방에서
'과일'이
재배되고
있었어.

'로카카카'.

산부인과
진료실
안쪽 방,

난 거기서

재배되고
있는 걸
봤어.

그걸
"먹을 건가요?"

만약
'로카카카'
라면

전 그렇게
생각해요.
하지만 한 가지
미리 정해둬야
할 게 있어요…

정하는 건
미츠바 씨
본인이에요.

미츠바
씨…

그 방이
존재한다면
분명 아직
늦지 않았을
거예요.

....하지만
…

로카카카를
먹으면
반드시
나아요.

다시
'등가 교환'
하면

다시…
또 '한 개'…

네,

맞아요.

지금
내 몸에는
아무
문제도
없어.

'먹지
않는다'는
선택도
있어.

……

네!
그렇
다고
들었
어요.

내 몸
어디와
다시
'교환'될
것인지?
…알 수가
없어!

하지만
'로카카카'에는
몹시 중대한
리스크가 있어.

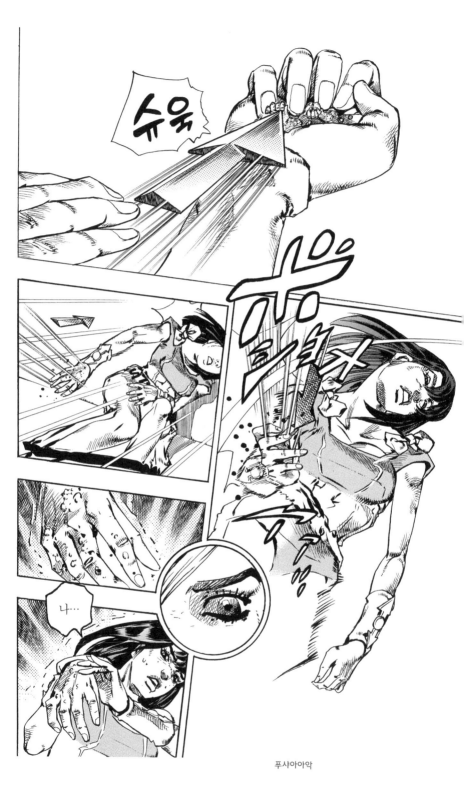

…서두르고 싶어!…

나…

아직 늦지 않았다면!

'화살표'로…! '파편'을 다시 뱃속에 넣다니…

잘 지내?

안녕…

야스호짱?

어라?

안이 더러운 것 같아요.

그 엘리베이터는 지금 못 써요…

지금… 그 남자를 찾아서 '난 3층에 있다'고 전해줘.

이름은 '죠스케'.

핸드폰이 망가져서 그래. 로비 층에 해군 모자를 쓰고 세일러복을 입은 남자가 있거든.

… 부탁 좀 할게…

엄청 타이밍이 좋았어!

연락 할게.

얼른 찾아줘. … 부탁이야 …

너랑은 상관없잖아.

죠스케 …?

그 녀석이 너한테 뭔데?

…로비 층 이라고 했지! …해군 모자를 찾아오겠 습니다.

후훗.

라저!

뭐어?!

엘리베이터가 더러워졌다니, 혹시 안에서 쉬라도 한 거야?

옛날에 넌 내 손가락으로 만져주면 금세 흠뻑 젖곤 했었지.

……

나머지 과육은 뒤이어 소화기관에 도달해 소장에서 혈관으로 흡수되고 간장을 통과하여

우선 위아래 치아로 깨물면

'로카카카'의 성분은 혈액과 함께 단숨에 전신을 순환하지요.

그 즉시 '로카카카'의 과육과 과즙에 들어 있는 성분이 구순 소대口脣小帶의 점막을 통해 모세혈관으로 흡수됩니다.

'로카카카'에 관해 해설하고 있어…!

이 목소리, 우 토모키의 목소리야.

병소病巢에 도달하면 '로카카카'는 자동으로 반응을 개시, '등가 교환'이 일어납니다.

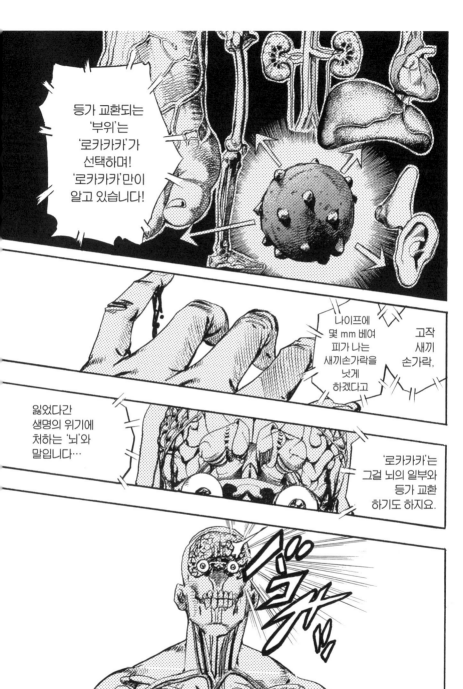

어째서
'작은
상처'와…

로카카카
는…

선택하기도
하는
것인가?

생명에
중대한 영향을
끼치는'뇌와의
교환'을

그 이유는
수수께끼로,
해명이 시급한
상황입니다.

로카카카의
성분은 혈관 내의
혈류를 타고
전신을
순환하지만

위험한
교환은
막을 수
있지요.

현 시점에서
저
우 토모키에게
모종의 기술이
있습니다.

안심
하시길.

하지만
여러분,

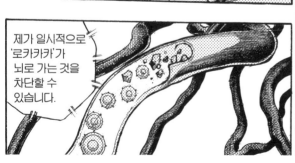

제가 일시적으로
'로카카카'가
뇌로 가는 것을
차단할 수
있습니다.

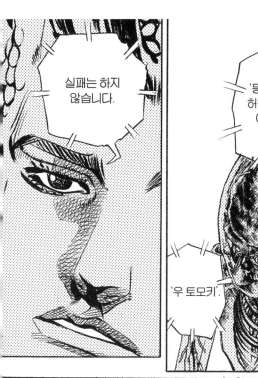

실패는 하지 않습니다.

제가 '뇌'와의 '등가 교환'을 절대로 허용하지 않습니다… 이 치료는 반드시 성공한다는 겁니다.

'우 토모키'.

'뇌'로는

'로카카카'가 도달하지 않지요.

기술의 완성을 눈앞에 두고 있습니다. 그 무엇보다도 우선시해야 마땅합니다.

로카카카를 활용한 치료는 계속해서 발전하고 있습니다.

인류 누구나 바라 마지않는 일로서

물론 등가 교환 기술에는 리스크가 있습니다.

하지만 로카카카는 의학과 제약 분야 뿐만 아니라 사회의 시스템이나 인류 그 자체를 휘어잡을 겁니다.

이 녀석들에게도 아직 위험천만한 기술인데!

하지만 로카카카의 등가 교환은

우 토모키는 환자의 체내에 스탠드 능력으로 잠입해 리스크를 막고 있는 것뿐!

난 본 기억이 없어.

누군가, 환자나…

이 영상,

스폰서 같은 사람을 대상으로 설명하는 영상 같아요.

이 비디오가 설명하는 건 기존의 로카카카야.

그럼 새로운 로카카카의 '가지',

불이 난 후의 그 '가지'…

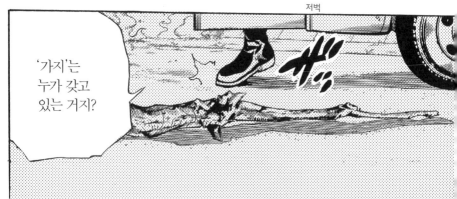

저벅

'가지'는 누가 갖고 있는 거지?

이거다.

암호
시스템.

찾았어…
잠금
해제.

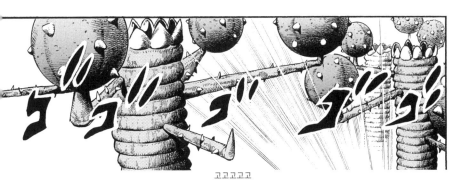

핸드폰이 망가졌댔나… 아무튼 그래서 야스호짱이 좀 전해달래요.

"지금 바로 3층으로 와줘" 라고요.

죠스케 씨?

그~ 뭐냐,

실
자

전前 남친 인데요.

3층?

야스호 짱이 …?!

넌 누구지?

DOCTOR WOO

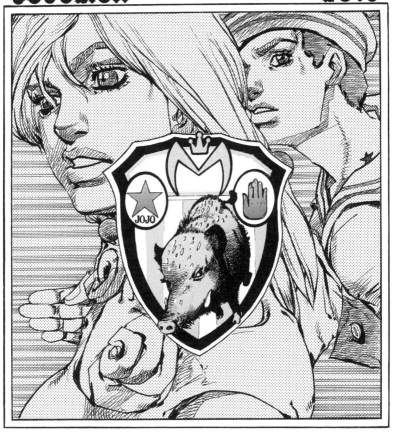

#082
닥터 우와 깨어나는
세 장의 잎 ④

덜컹덜컹 덜컹

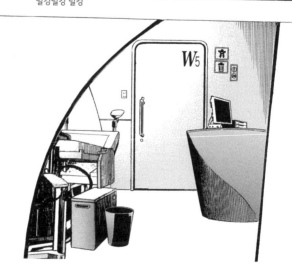

슈웅 슈웅 슈웅

안쪽의
저 벽은…
뭘까?

두리번두리번

연구실
같은데…
화재 때…
빼앗겼다던
'가지'는
어디 있지?

'새로운
로카카카
가지'
는…?

츄릅 츄릅

여긴
없나보네
…

마메즈쿠 씨가
직접 보지 않으면
알 수 없는 건지도
모르지만…
역시
없는
건가?

❓

지금!

이걸
하나…
먹어야
겠어…

나…

❓

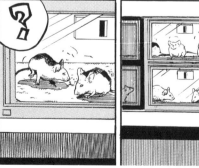

❓

네.

괜찮아.

"등가 교환"에는
가능할 수 없는
리스크가 있어요…

교환되는
부위는 누구도
통제할 수
없어요.

하지만
다시
한번…

확인차
말씀
드리자면

'몰랐다'는 말로
회피해서는…
행복해질 수
없어.

이미…

애정이 샘솟기
시작했는걸.

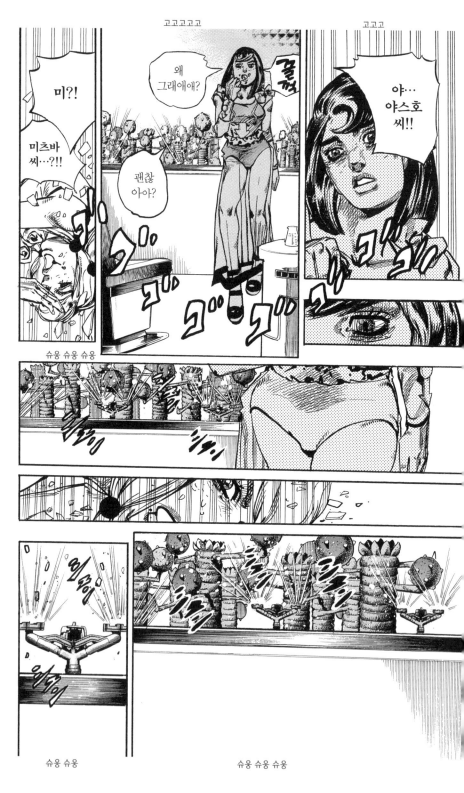

앗!!

와장차아아앙

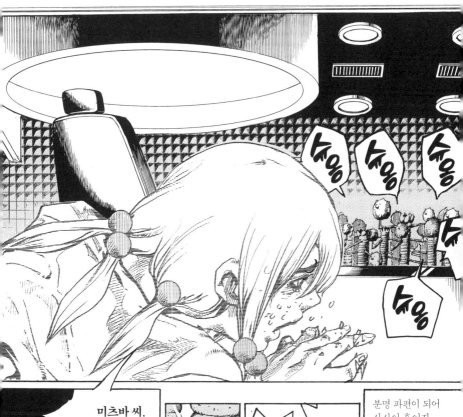

미츠바 씨,
정신 차리세요!
우 토모키가
체내로
들어갔어요!

알아,
야스호 씨.

알고 있어.

로카
카카의
줄기로
이동했어.

물을 타고
저 스프링
클러에서…

바깥의
수도관
이야!

분명 파편이 되어
산산이 흩어진
'우 토모키'를 테이프로
붙여 병원 건물
밖에 버렸는데…

슈웅 슈웅   슈웅 슈웅 슈웅

슈욱 슈욱 슈욱

'우 토모키'…
실패는
하지 않아.

참고로 또하나
가르쳐줄까…
이 연구실을 만든
장본인은…

'키라 홀리' 말야.
그 여자는
로카카카에
실패했지.

현재
이 병원에
입원중이지.
그 의사
어머니다.

뚜슈우 뚜슈우

주룩주룩 주룩

누군가
…?

……

달아나던
'푸어 톰'도

뒤를
쫓던
'죠스케'
도

구급차로
온 '우
토모키'도

화재
때…

혹시

'가지'를
누군가가
바꿔치기
했다면…?

그 '가지'를 모두가
신 로카카카의
'가지'로
착각한 거야.

누군가가 이미
다른 '가지'와
바꿔친 뒤
였는데!

……
……

야스호
쨩,

예를 들면
누가
있는데?

그러니까 그건
있을 수 없는
일이야!
'가지'는 그때!
줄곧 내 눈앞에
있었어!

누군가가
'가지'를
바꿔치기
했다고?!

우 토모키에게는
표적...
'용의자'가
있는 것 같았어...

야스호 씨,
내

'등가 교환'...

코와
교환됐어.

신 로카카카 열매─
수확까지 "앞으로 열흘"

...
다행이야
...

아직
끝나진
않았지만

20 같이 부탁해요, 닥터 우. 마침

죠죠의 기묘한 모험 (1~5부) 전63권

『죠죠의 기묘한 모험』 1~5부.
1987년부터 연재중! 1억 부의 누적 발행부수! '스탠드' 개념을 도입해
능력배틀물의 원조가 되었고, 단순한 힘겨루기에 그쳤던 종전 만화에 두뇌싸움과
트릭 등 다양한 요소를 도입해 소년만화의 새로운 지평을 연 전설의 만화!

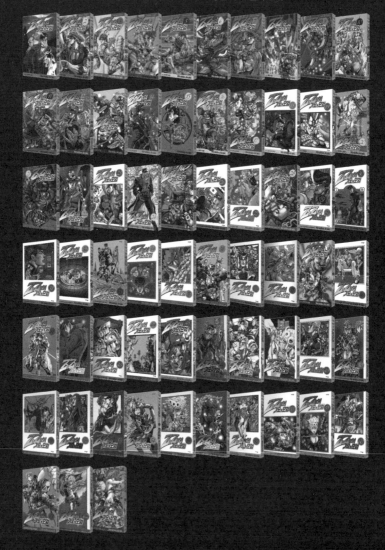

스톤 오션 (6부) 전17권

『죠죠의 기묘한 모험』 6부.
남자친구와 드라이브 도중 교통사고에 휘말린 쿠죠 죠린은
누군가의 모함으로 징역 15년 형이 확정되고 만다.
한편 아버지 쿠죠 죠타로가 맡긴 불가사의한 펜던트에 손을 찔리자
죠린에게 알 수 없는 변화가 일어나기 시작하는데…!

스틸 볼 런 (7부) 전24권

『죠죠의 기묘한 모험』 7부.
때는 1890년, 미국에서 세기의 레이스 'SBR'이 개최된다.
총 거리 약 6,000km에 이르는 인류 역사상 첫 북미대륙 횡단 승마 레이스!
불행한 사고로 하반신이 마비된 천재 기수 죠니 죠스타와
회전하는 철구를 무기로 가진 의문의 사나이, 자이로 체펠리.
우승상금 5천만 달러를 목표로, 뜨거운 모험가들의 싸움이 지금 시작된다!

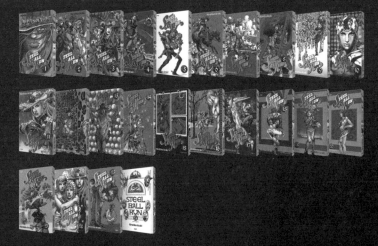

The BOOK - jojo's bizarre adventure 4th another day
오츠이치 지음 | 아라키 히로히코 오리지널 콘셉트

『죠죠의 기묘한 모험』 4부의 스핀오프 소설.
죠죠의 기본 설정을 바탕으로 스릴러, 호러 계열의 블루칩으로 각광받고 있는
소설가 오츠이치가 무려 5년 동안 집필한 놀라운 결과물!
'책'의 존재로 인해 히가시카타 죠스케는 죽는다…?!

수치심 없는 퍼플 헤이즈
카도노 코헤이 지음 | 아라키 히로히코 오리지널 콘셉트

『죠죠의 기묘한 모험』 5부의 스핀오프 소설.
부차라티 일행과 헤어진 후,
'부끄러움도 모르는 배반자'의 오명을 쓰게 된 판나코타 푸고.
팀과 이별한 후 행방을 알 수 없었던 푸고를 찾아낸 귀도 미스타는
그에게 새로운 보스 죠르노 죠바나의 명령을 전한다.

사형집행중 탈옥진행중
아라키 히로히코의 세계관을 엿볼 수 있는 주옥같은 단편 모음집.
들여다 보기를 권한다, 죠죠러라면!!

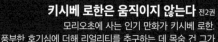

키시베 로한은 움직이지 않는다 전2권
모리오초에 사는 인기 만화가 키시베 로한.
풍부한 호기심에 더해 리얼리티를 추구하는 데 목숨 건 그가
다양한 취재지에서 체험한 공포 기담!

키시베 로한은 외치지 않는다
미야모토 마리에, 요시가미 료, 이바 유스케, 키타구니 발라드 지음

키시베 로한은 장난치지 않는다
미야모토 미레이, 요시가미 료, 키타구니 발라드 지음

키시베 로한은 쓰러지지 않는다
키타구니 발라드 지음

키시베 로한을 주인공으로 한 스핀오프 단편소설집. 리얼한 작품을 위해
직접 미스터리를 찾아 나선 그가 마주한 기묘한 사건들. 아라키 히로히코의
오리지널 콘셉트를 바탕으로, 작가들이 상상력을 펼쳐 완성한 소설들을 담다!

아라키 히로히코의 만화술
『죠죠』 작가가 직접 알려주는 소년만화 작법서!
식을 줄 모르는 인기를 자랑하는 초장기 연재작
『죠죠의 기묘한 모험』의 저자 아라키 히로히코.
'만화는 최강의 종합예술'이라고 단언하는 그가
지금까지 말한 적 없는 만화 작법과 창작의 비밀을 낱낱이 밝힌다!

옮긴이 **김동욱**

홍익대학교 출신. 게임 및 IT 기술 번역으로 2000년대 초 번역과 연을 맺었다.
이후 애니메이터 등 다방면으로 서브컬처 업계에 종사하다가 출판번역에 입문하여
현재는 전업 번역가로 활동하고 있다. 옮긴 책으로는 『스톤 오션』 『스틸 볼 런』 등이 있다.

죠죠의 기묘한 모험 Part 8

죠죠리온
제20권 같이 부탁해요, 닥터 우.

초판인쇄	2025년 3월 21일
초판발행	2025년 3월 28일
지은이	아라키 히로히코
옮긴이	김동욱
책임편집	조시은
편집	김지애 이보은 김지아 김해인
디자인	백주영
마케팅	정민호 서지화 한민아 이민경 왕지경 정유진
	정경주 김수인 김혜원 김예진 나현후 이서진
브랜딩	함유지 박민재 이송이 김희숙 박다솔 조다현 김하연 이준희
제작	강신은 김동욱 이순호
원화수정	윤정아
펴낸곳	㈜문학동네
펴낸이	김소영
출판등록	1993년 10월 22일 제2003-000045호
주소	10881 경기도 파주시 회동길 210
전자우편	comics@munhak.com
대표전화	031-955-8888 ㅣ 팩스 031-955-8855
ISBN	979-11-416-0921-4 07830
	978-89-546-8211-4 (세트)
인스타그램	@mundongcomics
트위터	@mundongcomics
페이스북	facebook.com/mundongcomics
카페	cafe.naver.com/mundongcomics
북클럽문학동네	bookclubmunhak.com

www.munhak.com